¡Hora de cuento!

Bath • New York • Cologne • Melbourne • Delhi
Hong Kong • Shenzhen • Singapore • Amsterdam

Índice

Al conejito
le encanta
escribir

Un día el conejito Rabito salió a jugar.

—¡Siempre vas con un libro en la mano! —se rió
su madre entre dientes—. ¿Qué llevas esta vez, Rabito?
¿Uno de aventuras? ¿Historias de fantasmas?

—No es un cuento —sonrió Rabito—. Es un cuaderno.
La maestra nos ha pedido que nos inventemos una historia.

—¡Qué divertido! —exclamó su madre—. ¿Y qué vas a escribir?

—Todavía no lo sé —dijo Rabito—. No se me ocurre nada.

—No te preocupes, pronto se te ocurrirán un montón de ideas —le consoló su madre—. Anótalas todas para que no se te olviden.

Rabito se dirigió al parque.
Al poco rato apareció su amiga
Renata.

—Mi mamá nos ha preparado
la merienda —dijo la rana—.
Échame una mano con la cesta.
¡Pesa mucho!

—¿Merienda?
Parece más bien un
tesoro —resopló
Rabito.

Entonces sacó el cuaderno.
—¡Acabo de tener una
idea! Podría escribir una
historia sobre un tesoro.

11

Siguieron caminando hacia el parque,
pero de repente Renata se detuvo.

—Juraría que he visto a Pepito —dijo.

—Yo también —dijo Rabito algo confuso—.
Pero parece que ha desaparecido.

—¡Como por arte de magia! —sonrió Renata.

—¿Magia? —dijo Rabito—.
Alguien podría hacer magia en
mi historia, por ejemplo un mago.

De pronto…

13

¡BU!

Pepito salió de detrás de un arbusto.
—¡Ay! ¡Me has asustado! —exclamó Renata.

—A mí me acabas de dar otra idea
—dijo Rabito—: una historia de miedo.
Podrían salir fantasmas espeluznantes
en mi cuento.

Los tres amigos iban a cruzar el arroyo cerca de la casa de su amigo Ardi cuando de repente…

Libro de Rabito

¡PAF!

—¡Uf! —dijo sonriendo Rabito—. Por lo menos no se ha mojado el cuaderno. Y se me acaba de ocurrir otra idea: uno de mis personajes podría vivir en el agua.

16

—¡Tal vez una sirena! —propuso Pepito.
—¡O una rana! —dijo Renata.

—¡Hola! —dijo Ardi—.
Estaré listo en un minuto.
¿Queréis esperarme aquí
arriba?

—¿Ahí arriba? —exclamó Renata—.
Ni hablar, estás casi en el cielo.

Casa
de Ardi

—Ahí va otra idea —dijo Rabito—: también podría haber aviones en la historia.

—¡O cohetes espaciales! —añadió Pepito.

—¡O extraterrestres! —exclamó Renata.

19

Cuando llegaron al parque, se
encontraron a Bella, la hermana
de Rabito.

—¡Hola a todos!
—dijo—. ¿Qué estás
escribiendo, Rabito?

20

—Escribo una historia —le contestó Rabito—. He tenido un montón de ideas y ahora las estoy convirtiendo en una aventura de verdad.

—¡Qué bien! —dijo Bella—. ¿Nos la lees?

—Vale —dijo Rabito—, pero aún no la he terminado.

Rabito abrió su cuaderno y comenzó a leer.

Un día, Roberto y Bea encontraron un cofre en el desván que pesaba un montón.

¡Como la cesta de la merienda!

Abrieron la tapa y
vieron que el cofre
estaba lleno de oro.

—Gracias —dijo el mago—.
Habéis encontrado
el tesoro de Miaulín.

Pero aquella misma noche,
el tesoro desapareció.

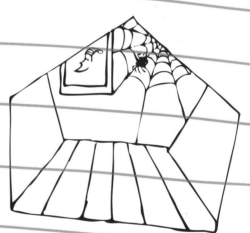

¿Quién se lo había llevado?

¡Abracadabra pata
de cabra! El mago los
envió volando a Marte.

—He escrito hasta
aquí— dijo Rabito—.
Ya os he dicho que no
la había terminado.
—¡Nosotros
la terminaremos!
—exclamó Ardi.
—¡Qué bien!
—dijo Rabito—.
Podéis escribir un
trozo cada uno.

En turnos, cada uno escribió su parte de la historia en el cuaderno de Rabito.

—Ya está— dijo cuando terminaron todos—. Aquí tenéis el resto del cuento.

El mago hechizó a los extraterrestres y recuperó el tesoro.

¡Esa idea es mía!

¡Fantástico! Gracias a todos. Solo hay que añadir una última oración.

Y escribió:

Roberto, Bea, Carolina y el mago vivieron felices y comieron perdices.

FIN

—¡Bravo! —gritó Renata—. Pero la historia no se ha terminado aún.

—¿Cómo que no? —preguntó Rabito—. ¿Y qué pasó luego?

—Muy fácil —se rió Renata—. Entre todos se comieron el tesoro.

FIN

Al conejito le encanta leer

37

Un día, los amigos de Rabito fueron a su casa.

—Hola, Rabito —saludaron—. ¿Vienes a jugar con nosotros?

—Claro —dijo Rabito con una sonrisa—. Eso sí, tengo que acabar mi libro, ¡es de piratas!

—Siempre estás leyendo —dijo su hermana Bella.

—Jugar a la rayuela es mucho más divertido.

39

—¡Los libros son aburridos! —croó Renata.

—¿Para qué leer cuando puedes brincar?

—Leer no es tan divertido como hacer carreras —coincidió Pepito.

40

—No les hagas caso, Rabito —sonrió Ardi—.
Los libros son geniales…
    —¿Sí? —preguntó Rabito.
    —Sí —contestó Ardi con una sonrisa—.
Los libros son geniales…

... ¡para zampárselos!
—¡Oye...! —replicó Rabito riéndose.

¡Ñam!

Entonces, dijo Bella:
—¡Va, dejad a Rabito con sus libros y vamos a jugar fuera!

Pero estaba lloviendo.
Los amigos miraron tristes
por la ventana.

—¿Por qué no leéis algunos
de mis libros? —preguntó
Rabito, que llevaba en las
manos una caja muy grande.
—No queremos leer —dijo
Ardi—. Queremos que pare
de llover.

Rabito sacó un libro de la caja.

—En esta novela hay una gran tormenta —dijo Rabito—. Habla de piratas que buscan tesoros enterrados.

—¿Tesoros enterrados? —preguntó Ardi—. ¿Como una bellota?

¡Mmm!

46

—No exactamente —contestó Rabito—. Pero es muy emocionante, mira.

—Supongo que no tenemos otra cosa mejor que hacer —dijo Ardi resignada.

—¡Las ranas odiamos quedarnos encerradas! —refunfuñó Renata.

—Este libro va de un príncipe que se convierte en rana —comentó Rabito.

—¡Menuda sorpresa! —dijo Renata—. ¿Vuelve a convertirse en príncipe?

—¿Por qué no lo lees y lo averiguas tú misma? —sonrió Rabito.

—Estar aquí encerrado me está dando sueño —dijo Pepito.
Rabito le dio un libro.

—La princesa de esta historia duerme durante 100 años
—le comentó Rabito.

—¿En serio? ¡GuAu! ¿Y cómo se despierta?

—Léelo y averígualo —contestó Rabito.

—Vale, pero a lo mejor me quedo
dormido antes de acabarlo.

—¡Me aburro! Voy a coger una galleta —se quejó Bella—. Oye, Rabito, tu caja me impide el paso.

—¿No puedes saltar por encima?

—¡Tendría que ser un gigante para poder saltarla! —dijo Bella.

—¡Como un dinosaurio! —dijo
Rabito—. ¡Algunos eran más
grandes que una casa!

51

Rabito se asomó a la ventana.
—¡Chicos, ha parado de llover!
—gritó—. ¿Quién sale a jugar?

¡Shhh! Todavía
estoy leyendo.
¡Los piratas aún
no han encontrado
el tesoro!

52

—¿A qué queréis jugar?
—preguntó Rabito cuando
sus amigos acabaron de leer—.
¿A la rayuela, a brincar,
al pilla pilla?

—¡Vamos a hacer trucos de magia!
Si me das un beso, me convertiré en
princesa —dijo Renata.
—¡Puaj! No, gracias —dijo Ardi
riendo—. Vamos a jugar a piratas.

—¡Mirad! —dijo Bella—.
Soy un dinosaurio.

¡GRRR!

—¡Voy a buscar a la
princesa encantada!
—gritó Pepito.

Y jugaron a los piratas, a los
dinosaurios y a príncipes y princesas
hasta que llegó la hora de volver a casa.

56

—¿Tienes más libros de dinosaurios? —preguntó Bella.

—¡Claro! —contestó Rabito.

—¿Y de ranas? —preguntó Renata.

—Sí, y también de sapos —dijo Rabito.

—¿Tienes alguno de brujas y magia? —preguntó Pepito.

—¡Un montón!

—¿Puedes prestarme otro libro de piratas? —preguntó Ardi.

—¡Claro que sí! —sonrió Rabito, ¡pero tienes que prometerme que no te lo comerás!

Fin

Bebé Oso
aprende a decir
«por favor»

Papá Oso y Bebé Oso iban de camino a la guardería. Pero Bebé Oso se despistaba todo el rato.

—¡Dame la mano,
Bebé Oso! —dijo
Papá Oso.

—Pórtate bien, Bebé Oso —le dijo Papá Oso en la guardería.

—Bebé Oso, ¡las cosas
no se quitan!

—Hay que compartir,
Bebé Oso —dijo
Papá Oso.

Más tarde, de camino a la fiesta de cumpleaños de Bebé Conejo, Papá Oso y Bebé Oso pararon a hacer unas compras.

—¡Dame la mano, Bebé Oso! —dijo Papá Oso.

JUGUETES

71

Algo en el escaparate le dio una idea a Papá Oso.

—Mira, Bebé Oso —le dijo—. Ese ratoncito
quiere decirnos algo.

JUGUETES

—Este ratoncito quiere venir a la fiesta,
Bebé Oso —dijo Papá Oso—. Pero más vale
que nos demos prisa porque odia llegar tarde.

Llegaron a tiempo a la fiesta de Bebé Conejo
y Ratoncito le susurró algo a Papá Oso.

—Ratoncito dice «disculpadme,
por favor, Bebé Oso». 77

Bebé Oso corrió a montarse en el tren. Ratoncito le volvió a susurrar algo a Papá Oso.

—Ratoncito quiere montarse también en el tren, lo ha pedido por favor —dijo Papá Oso.

Bebé Oso les quitó las palomitas a sus amigos para comérselas él y Ratoncito le susurró algo a Papá Oso.

—Ratoncito quiere saber si Bebé Conejo y Bebé Topo quieren palomitas.

Cuando llegó la hora de irse,
Bebé Oso se quedó en la puerta
en silencio.

—Ratoncito da las gracias
por la invitación —dijo
Papá Oso.

Bebé Oso miró a Ratoncito y luego a Papá Oso.
Entonces levantó la mirada hacia Mamá Conejo
y dijo:

—Adiós. Gracias por invitarme
a mí también.

—Gracias a ti por venir, Bebé Oso
—sonrió Mamá Conejo.

—Podéis volver cuando
queráis.

—A Ratoncito le ha gustado
tu manera de dar las
gracias —dijo
Papá Oso.

—¡Y a mí también!

Fin

¡A ver el mundo nos vamos!

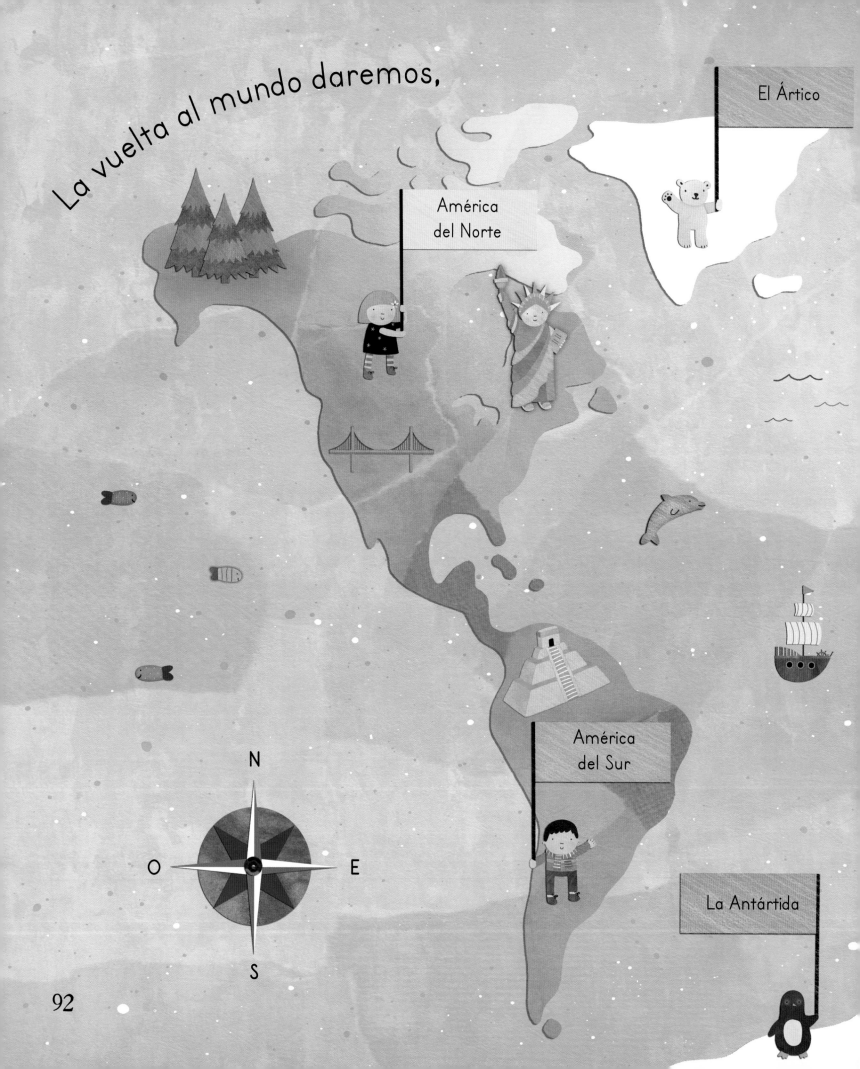

La vuelta al mundo daremos,

El Ártico

América
del Norte

América
del Sur

La Antártida

N

O   E

S

92

Europa

Asia

África

Australia

¡verás lo que aprenderemos!

En países lejanos,

nos damos

la mano.

¡A ver el mundo nos vamos!

96

La vuelta
al mundo daremos,

¡verás lo que aprenderemos!

Prestaremos atención
a lo que ocurre alrededor,

¡verás lo que
descubriremos!

101

La vuelta al mundo daremos

y sus idiomas conoceremos.

«Hola, hola, ¿cómo está usted?»

Come stai?

Aap kaise hain?

¡El mundo vamos a ver!

105

La vuelta al mundo daremos

106

y juntos cantaremos.

107

Divertidos juegos

con amigos nuevos.

¡A ver el mundo entero! 109

Nuestro mundo no es tan grande,

¡pero hay mil cosas interesantes!

111

Vente con nosotros

a viajar y a aprender.

¡El mundo vamos

114

entero
a ver!

116

Fin

MARÍA
del Mar

y el
día
perfecto

Esta es MARÍA.

En realidad se llama
MARÍA DEL MAR,
pero todo el mundo la
conoce como María.

Le gustan los zapatos
de tacón y el arcoíris.
Quiere mucho a su
hermana pequeña, Sofía

(cuando se porta bien, claro).

Sofía

María

María se viste de un color distinto
cada día, pero los días especiales se viste
como el arcoíris. Ha hecho un dibujo
de mañana. Va a ser

¡el día perfecto!

...UN AÑO MÁS!

Nunca había sido tan mayor. Ahora puedo hacer cosas de mayores como:

ESCALAR MONTAÑAS

LLEVAR ZAPATOS DE TACÓN

¡IRME TARDE A DORMIR!

Ahora solo falta que haga un tiempo **perfecto**...

Pero las cosas se tuercen...

¡No es justo!

"Prometí a mis amigos
una fiesta superguay
en el jardín.

La lluvia
NO
forma parte de mi
GRAN idea.

La lluvia
es lo PEOR".

RESPIRA HONDO,
CUENTA HASTA DIEZ.
MARÍA TIENE
UNA GRAN IDEA
OTRA VEZ.

"La lluvia no va
a estropear
mi día perfecto".

María recuerda de dónde
viene la lluvia. De las nubes.
"¡Las apartaré!".

Pero incluso con TODA la
familia soplando con todas
sus fuerzas desde la buhardilla,
no logran moverlas.

y

sigue

lloviendo.

127

Entonces María piensa en sus modales:
"Esto sí que funcionará.
Voy a ir a mi rincón de pensar
para hablar con la
lluvia a solas".

Hola, lluvia.
Soy yo, María.
Por favor,
¿podrías
marcharte?

RESPIRA HONDO,
CUENTA HASTA DIEZ.
MARÍA TIENE
UNA GRAN IDEA
OTRA VEZ.

"Si todo lo demás es perfecto, aún puede ser un día perfecto".

Pero nada cambia. Sigue lloviendo.

LO PRIMERO: mi peinado.

Le lleva su tiempo, pero al final el peinado de María queda

perfecto.

LO SEGUNDO:
mis zapatos de fiesta.

Con las prisas,
a María le cuesta
un poco ponerse los
zapatos de tacón
de mamá en el pie
correcto.

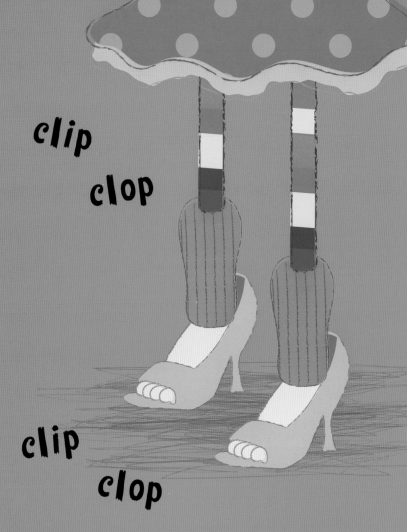

clip

clop

clip

clop

¡grr!

¡grr!

Luego le cuesta lo suyo
convencer a Sofía de
que no puede ir a su
fiesta disfrazada
de dinosaurio.

130

Al final María está **perfecta**,
como el arcoíris.

"Rojo, naranja, amarillo,
verde, azul, violeta
y añil.
El arcoíris
tiene
colores mil".

La nueva gran idea
de María funciona.

HASTA
QUE...

¡BANG! ¡BANG! ¡BANG!

Los globos empiezan a explotar.
Y a la abuela se le caen los pasteles de gelatina.

¡plaf! ¡plaf! ¡plaf!

132

Sofía empieza a llorar porque odia los ruidos **FUERTES**.

¡**buaa**!
¡**buaa**!
¡**buaa**!

Y luego suena el teléfono...
y otra vez.
y otra vez.
Mamá tiene malas noticias.

¡TODOS los amigos de María tienen varicela!

133

Al final suena el timbre de la puerta.
María está contenta porque al menos
uno de sus amigos no se ha puesto enfermo.

ES
LUIS,
el vecino
de al lado.

Justo cuando María pensaba que todo
lo PEOR ya había pasado.

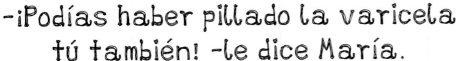
-¡Podías haber pillado la varicela tú también! -le dice María.

Mamá la riñe. Precisamente en su día especial. Y María tiene que pedir perdón a Luis.

-¡No es justo!
-grita María.

135

Ni la
PRIMERA GRAN IDEA
ni la
SEGUNDA GRAN IDEA
de María
HAN FUNCIONADO.

Se sienta en
un rincón con
su patito.

Ya NO QUIERE ningún regalo.

(Ni siquiera
ese tan grande
que hay ahí).

Ya NO QUIERE
jugar a
ningún juego.

(Ni siquiera a poner los
zapatos a la princesa).

Y ya NO QUIERE tarta.

(Ni siquiera
de chocolate).

137

—¡Es el PEOR día de mi vida! —dice María.

138

—Los globos han explotado.

¡plaf!

Los pasteles de gelatina se han caído.

Sofía ha llorado, ¡mucho!

La única persona que ha venido a mi

fiesta ha pegado un moco al gato.

Y por si eso fuera poco:

¡LLUEVE!

María está muy triste, pero entonces mamá sonríe y le dice que mire por la ventana.

María no puede creer lo que ve:

el sol más brillante...

el cielo más azul...

y el arcoíris más

bonito

del mundo.

Agarra a Sofía
de la mano y salen
corriendo afuera.

141

–Aquí estoy en este día **perfecto**.

con mi propio arcoíris...

mi ropa de fiesta favorita...

los zapatos de tacón de mamá...

una rica tarta de chocolate...

Incluso está bien
que Luis esté aquí.